Agnieszka Frączek

Zbaranieć można!

ilustracje
Jola Richter-Magnuszewska

Agnieszka Frączek

Zbaranieć można!

ilustracje
Jola Richter-Magnuszewska

Agnieszka Frączek
Zbaraniec można!

Okładka i ilustracje:
Jola Richter-Magnuszewska

Korekta: Lidia Kowalczyk,
Joanna Pijewska, Aleksandra Różanek

Wydanie I

ISBN 978-83-7672-420-1

Wydawnictwo Literatura, Łódź 2016
91-334 Łódź, ul. Srebrna 41
handlowy@wyd-literatura.com.pl
tel. (42) 630 23 81; faks (42) 632 30 24
www.wyd-literatura.com.pl

Są takie słowa, w których uważne oko (lub ucho) odkryje nazwy zwierząt. Zwierzęta trafiają tam na różne sposoby – albo przez przypadek (jak mucha do dMUCHAnia, a kuc do KUCania), albo w wyniku pewnych (słusznych czy nie) skojarzeń (stąd ślimak w ŚLIMAczeniu się, a świnki w ŚWINIEniu).

Oczywiście, nie tylko ślimak się ŚLIMAczy i nie tylko sowa bywa oSOWiała. Częściej się zdarza, że to papuga MAŁPuje, małpa PAPUGuje, mysz coś CHOMIKuje, chomik MYSZkuje po kątach, kuc się JEŻy, a jeż KUCa.

Słowem… zBARANieć można!

Agnieszka Frączek

WIELKA PERSONA

Pan hipopotam, persona wielka,
uwielbiał nosić spodnie na szelkach.
Miał takie jedne w grochy, mięciutkie,
lecz cóż… od dawna były za krótkie.
Były za krótkie, były za ciasne,
trudno uwierzyć, że jego własne!
Nie mógł się wcisnąć w nie, choć próbował,
brzuch dla poślizgu masłem smarował,
nawet się w talii pętał gorsetem.

Wreszcie, chcąc nie chcąc, przeszedł na dietę.

Chrupał sałatę, wcinał otręby,
zajadał szpinak, choć kłuł go w zęby,
żuł kalarepkę i gryzł karczochy.

Aż wbił się w tamte porcięta w grochy!
Wdarł się w nie, piszcząc: – Kurczę pieczone!
Wreszcie nie jestem hipcio-balonem!
To ci dopiero zmiana urocza!
Popatrzcie na mnie! Kurczę się w oczach!

Nie tylko w oczach… Po pewnym czasie
SKURCZYŁ SIĘ także w biodrach i w pasie,
skurczył się w łydkach, no a w dodatku
skurczył się parę rozmiarów w zadku.

I teraz bryka taki skurczony.
Żółte skrzydełko ma z każdej strony,
a gdy zawołać go: – Cip, cip, ciii!,
dzióbek otwiera i piszczy: – Piii!

Muchy,
nawet gdy się byczą,
zgodnie z muszą modą bzyczą.

Choć je inne dźwięki kuszą,
po muszemu bzyczeć muszą
– taki rozbzykany los
wszystkich much i pszczół, i os.

Bąków też? A gdzież tam! W życiu!
Czy otwarcie, czy w ukryciu
– jak wskazuje nazwa bąka –
bąk nie bzyczy, tylko BĄKA.

Zapytać
Bąk
Kandydaci
na
stanowis
ko

POPLĄTANĄ WIEJSKĄ DRÓŻKĄ...

Poplątaną wiejską dróżką
szedł dżentelmen, nagle... Co to?!
Jeszcze krok, a lewą nóżką
wdepnąłby w paskudne błoto!

Stanął, monokl zwrócił w prawo...
Patrzy, a tam obok chaty
gospodyni z wielką wprawą
doi krowę w rude łaty.

Kiedy skłonił im się nisko,
szepcząc coś proszącym tonem,
gospodyni przez płocisko
przerzuciła mu oponę.

Po oponie w grząskiej brei
wylądował jeszcze stołek,
a za stołkiem po kolei:
rondel, chochla i kociołek.

Nasz dżentelmen, jak dyrektor,
z ważną miną patrząc w błoto,
prosił, pokrzykując krzepko,
raz o tamto, a raz o to.

Bam, bam!, leciał grad rupieci –
wiadro, mikser, szpadel, dzwonek,
balia, cedzak, taborecik
oraz beczka od kiszonek.

Jeszcze puszka po herbatce
i trzy młynki (dwa na chodzie) –
po tym wszystkim, jak po kładce,
bez uszczerbku na urodzie

mógł dżentelmen sobie kroczyć
wiejską dróżką poplątaną,
już nie trwożąc się, że zmoczy
pietę, łydkę czy kolano.

Podziękował gospodyni,
fryz poprawił i ogłosił:
– Czasem by się nie UŚWINIĆ,
trzeba trochę się NAPROSIĆ.

ŚLEDŹ MNIE ŚLEDZI

Śledź mi spędza z powiek sen.
Śmie mnie ŚLEDZIĆ, nicpoń ten!

Ściga mnie jak cień dzień w dzień,
nawet się nie chowa, leń,
tylko śmiga po chodnikach
i mi śmiało fotki cyka.

Gdy go z cicha pytam, po co
śledzi mnie i w dzień, i nocą,
to mi rzuca w odpowiedzi:
– Śledzić jest zwyczajem śledzim.

Sen mi z powiek spędza, słowo!
Zwłaszcza płetwą ogonową.

BYCZO

Zając, sarna czy leśniczy –
każdy się czasami BYCZY.
No i niech tam! Ludzka rzecz
tak pobyczyć się raz. Lecz…

…lecz gdy byczyć się chce szpak
albo jakiś inny ptak
– sójka, dzięcioł, kos czy trznadel –
oj, to łatwo o wypadek!

Łatwo, bo wiadomo: gałąź
wytrzymała jest dość mało,
więc gdy ktoś się na niej byczy,
ta bidulka – z prostych przyczyn –
stęka, trzeszczy, wreszcie: trzask!…
i pasażer w mech: bum, prask!

Więcej się nie byczy już,
tylko strząsa z rogów kurz,
z kopyt otrzepuje mech
i: – Ech! – muczy. – Co za pech…

Zaraz. Chwilę. Skąd kopyta?
Jakie rogi – można spytać?
I kto niby muczy – ptak?

Oczywiście. Właśnie tak.
Przypomina teraz cielę,
bo się byczył ciut zbyt wiele.

Muuu
Muuu
Muuu
Muuu

KURA
~~SOWA~~
MĄDRA GŁOWA
UDZIELA PORAD
CODZIENNIE PARĄ
KAWALERĄ PANNĄ

CO BY TO BYŁO...?

Co by to było, gdyby
ktoś – wcale nie na niby –
odkurzył kuchnię, pokój,
lecz zamiast dać już spokój,
odkurzył jeszcze sień,
a nim się skończył dzień,
odkurzył też podwórko
i kurnik razem z kurką?

Co by to wtedy było?
Oj, byłoby niemiło!

Pan kogut na człowieka
okropnie by się wściekał,
okrutnie się oburzał,
że kurę poodkurzał
i teraz jego żona,
dokładnie ODKURZONA,
w kurniku ład zaburza,
bo jest zbyt mało kurza.

ANI NIE BODZIE, ANI NIE RYCZY

Leży na łące byk w wielkie łaty.
Leży
i leży,
i…
koniec na tym.

Ani nie bodzie, ani nie ryczy.
Ot, najzwyczajniej w świecie się byczy.
A nie, przepraszam! Czasem się zdarza,
że byk doniosły problem rozważa.

Bowiem w tej samej co on zieleni
pewna zażywna krowa się leni.
Ani nie bodzie, ani nie ryczy…

Czy można o niej rzec, że się BYCZY?
Czy raczej trzeba by – byk się głowi –
skoro jest krową, rzec, że się… KROWI?

GAFA

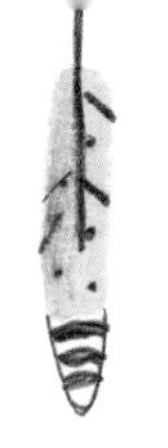

Stała na strychu dębowa szafa.
(Czemu na strychu? Ot, czyjaś gafa…)
Była solidna i okazała,
szeroka w barach, prosta jak strzała.
Miała pięć szuflad oraz drzwi dwoje,
a na nich piękne, rodowe słoje
i sęków zgrabnych sto. Słowem: dama!

Na wprost tej damy, w złoconych ramach,
wisiało lustro, które w zachwycie
demonstrowało damy odbicie.

Aż ktoś
znienacka
wtargał na strych
– bez próśb, przeprosin, tłumaczeń czczych –
wielkiego słonia z szarego pluszu.
Widać, że przybył tu prosto z buszu!
Nikomu nawet się nie ukłonił,
za to, o zgrozo!, szafę ZASŁONIŁ.
Na jej pięć szuflad i na drzwi dwoje,
na zgrabne sęki, rodowe słoje
padł w jednej chwili słoniowy cień.

Teraz w odwecie, nocą i w dzień,
szafa próbuje słonia… ZASZAFIĆ.
Lecz nie potrafi.

WIECZNIE WIETRZNIE

– Wiecznie wietrznie! – zrzędzi cietrzew
i po chaszczach gania w swetrze.

Gania w swetrze, bo wiadomo:
złapać katar to dyshonor
dla cietrzewia eleganta.

Zresztą także dla bażanta,
kuropatwy czy jastrzębia.

Niech się zięba w ziąb ZAZIĘBIA!

BARAN I KROPKA

Podobno przed laty nad Sanem
żył kaczor, co chciał być baranem.
Właściwie rzec: „chciał być” to mało,
bo kaczor zapewniał wieś całą,
że JEST już baranem i kropka.

Gdy owcę czasami gdzieś spotkał,
to kłaniał się w pas z galanterią
i beczał jej całkiem na serio:
– Dzień dobry, sąsiadko, jak leci?
Uroczy wełniany berecik!

Z kaczkami nie gadał w ogóle.
Zabawne, pierzaste brzydule
– choć czasem w ich stronę zezował –
uparcie omijał bez słowa.

Aż raz się w tej wsi rozległ huk –
to lustro niechcący ktoś stłukł.
– Już chaty nam – rzekł – nie uświetni…
Więc wyniósł je szybko na śmietnik.

Kwadransik upłynąć nie zdążył,
a kaczor wśród stłuczek już krążył,
już wzdychał, już rad się roztkliwiał,
że będzie się mógł popodziwiać.

Wnet zerknął…
i stanął jak słup.
Bo pierwszym, co spostrzegł, był dziób!
Dziób, skrzydła, ogonek i… pierze?!
– Doprawdy – wybeczał – nie wierzę!
To pierze mi rogi zasłania!

I wtedy naprawdę ZBARANIAŁ.

NA RYNKU

Na naszym rynku – z brzegów i w głębi –
co dzień aż kłębi się od gołębi.

Tropią okruszki, drepcząc po bruku,
i w bruk dzióbkami wciąż: stuku-puku!
Potem w kałużach na brzuchach leżą,
dzioby szeroko w uśmiechach szczerząc.
Łażą po ławkach i po pomnikach,
któryś w fontannie koziołki fika,
inny do ucha kwiaciarce grucha,
ten katarynki z przejęciem słucha…

…a tamten w cieniu siedzi bez ruchu
i pohukuje: – Uhu! Hu, hu, hu!

Co? Pohukuje?! No nie! Nie wierzę!
Więc to jest gołąb? Czy inne zwierzę?

Gołąb. Prawdziwy! Dość okazały,
tylko kompletnie dziś OSOWIAŁY.

SZARA EMINENCJA

Złościł się kucharz, Bazyli Kęsik,
że mu się w kuchni król SZAROGĘSI.
Że mu zagląda w każdą patelnię,
że uszka lepić chce samodzielnie,
że pcha koronę w gary i w kotły,
rwie się do tłuczka, rwie się do miotły,
nawet do zlewu rwie się ten król
i gary z gracją zmywa: bul, bul!

Kucharz się złościł, król szarogęsił
i tak to trwało, aż kiedyś Kęsik
na ulubione króla pytanie:
– To jakie dzisiaj pichcimy danie? –
odparł, niewinną przybrawszy minę:
– A co byś, królu, rzekł na gęsinę?

Co? Dziwnym trafem król nie rzekł nic,
tylko w podskokach z kuchni zwiał: hyc!
I więcej jakoś, nie wiedzieć czemu,
nie SZAROGĘSIŁ się Bazylemu…

PAN ROBÓTKO

Dryń, dryyyń o świcie,
galopem mycie,
z psiakiem na siku
(szybciej, Asiku!),
kęs sera z bułką,
biegiem za kółko,
slalomem brum, brum,
bo w mieście tłum, tłum,
parking (pod chmurką),
cwałem za biurko,
maili bez liku,
kawki pięć łyków…

DRRRRRRRR

Wreszcie: pa, biurko!,
parking (pod chmurką),
slalomem brum, brum
przez miejski tłum, tłum,
z psiakiem na siku
(szybciej, Asiku!),
galopem mycie,
bo dryyyń o świcie…

DRRRRRYŃ...

DRRRRRYŃ....

Chrapie Robótko, chrap!, WYKOŃCZONY.

A spod kołderki – o tu, z tej strony –
sterczy mu trochę niewymiarowa,
lecz najprawdziwsza w świecie… podkowa!

DRRRRRYŃ....

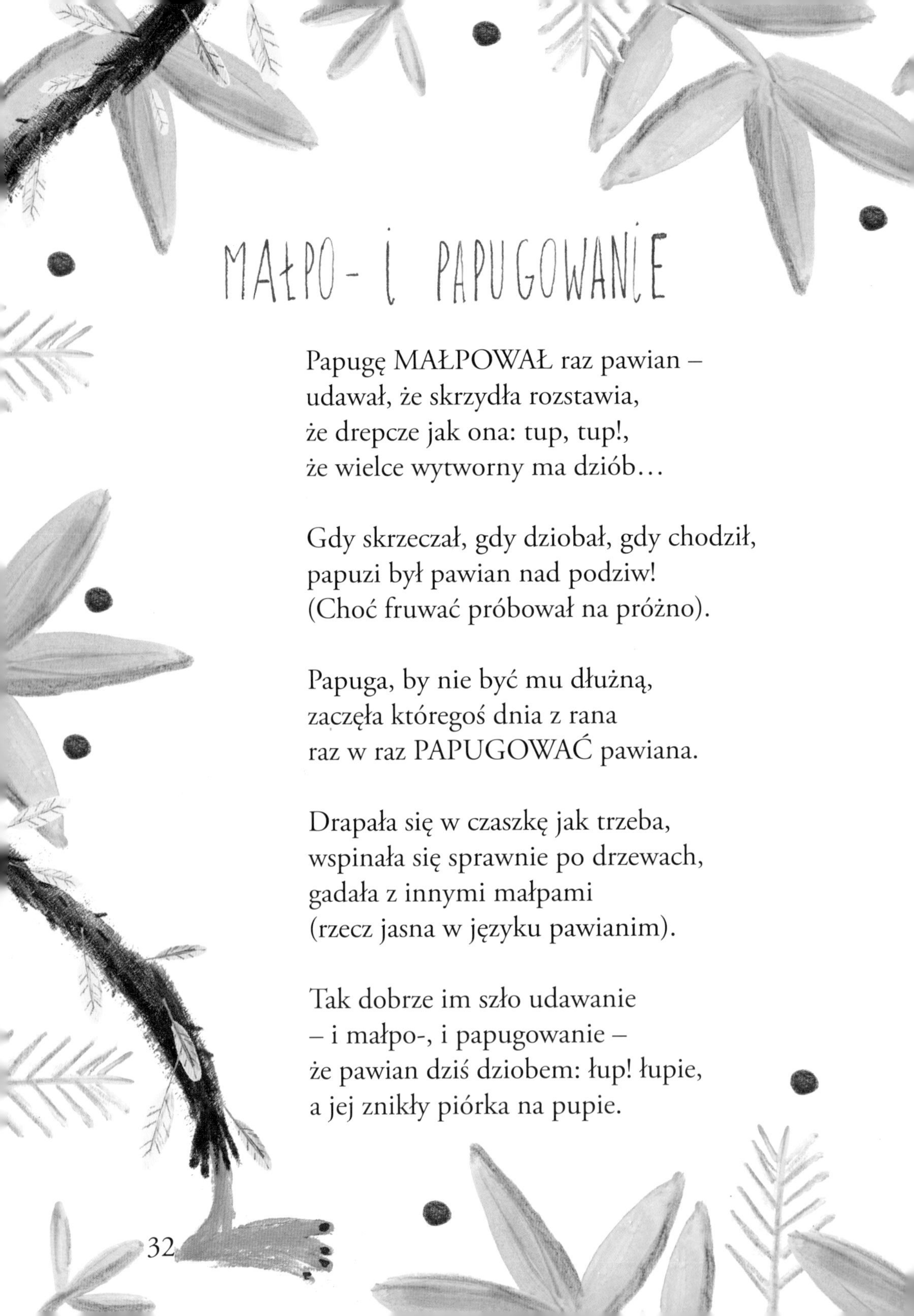

MAŁPO- I PAPUGOWANIE

Papugę MAŁPOWAŁ raz pawian –
udawał, że skrzydła rozstawia,
że drepcze jak ona: tup, tup!,
że wielce wytworny ma dziób…

Gdy skrzeczał, gdy dziobał, gdy chodził,
papuzi był pawian nad podziw!
(Choć fruwać próbował na próżno).

Papuga, by nie być mu dłużną,
zaczęła któregoś dnia z rana
raz w raz PAPUGOWAĆ pawiana.

Drapała się w czaszkę jak trzeba,
wspinała się sprawnie po drzewach,
gadała z innymi małpami
(rzecz jasna w języku pawianim).

Tak dobrze im szło udawanie
– i małpo-, i papugowanie –
że pawian dziś dziobem: łup! łupie,
a jej znikły piórka na pupie.

MOGŁO BYĆ GORZEJ...

Miał pewien rumak stajnię tak ciasną,
że gdy ogonem drzwiczki zatrzasnął,
to nie mógł stać tam, nie mógł tam leżeć,
nie mógł tam nawet się zaśmiać szerzej,
bo zaraz zębem sufit uszkadzał
albo chrapami o coś zawadzał.

Jak sobie radził? To proste: KUCAŁ.
Lecz nigdy z nikim się nie wykłócał
o lokum trochę bardziej wygodne,
a przede wszystkim rumaka godne –
lubił swą stajnię, swoje posłanie
i to niegodne konia kucanie.

Kucał więc,
kucał,
kucał
i kucał,
aż od kucania zmienił się… w kuca.

Bardzo się strapił?
Gdzież tam! Broń Boże!
Prychnął beztrosko:
– Mogło być gorzej.
Wolę już zostać w kuca zmieniony,
zamiast na odwrót – w konia zrobiony.

KAŻDEMU SIĘ ZDARZA

Wiadomo: każdemu się zdarza,
że czasem się z kimś PRZEKOMARZA.
Że wadzi się, waśni i spiera,
że droczy się, sprzecza i ściera.

Każdemu… z wyjątkiem malutkim.
Wyjątek to bączek tłuściutki,
co z dumną obnosi się miną,
bo nie jest, jak komar, chudziną.

On jeden się droczyć nie waży.

Nie waży, bo może się zdarzyć,
że gdy się z kimś zbyt *przekomarzy*,
w komara się sam przepoczwarzy.

POD SZEMRZĄCYM Z TRZCIN NAMIOTEM

Leżę sobie wczoraj z kotem
pod szemrzącym z trzcin namiotem.
Wsłuchujemy się w trzcin szum,
wpatrujemy się w ich tłum…

Nagle kot wytężył wzrok.
Trącił mnie pazurem w bok
i rozkazał: – Patrz!
Więc patrzę.

A przed nami, jak w teatrze,
popisując się niezwykle,
jedzie ślimak motocyklem.

Nie, nie jedzie. Pędzi. Mknie!
Przez szemrzący gąszcz trzcin tnie,
zasłaniając nam ich tłum,
zagłuszając nam trzcin szum.

Wreszcie zniknął.
Umilkł huk.

Kot mnie znów pazurem: stuk!
i z przekąsem miauczy: – Raczysz
jeszcze raz mi wytłumaczyć,
co to znaczy się ŚLIMACZYĆ?

NICZYM KASKADER

Czy to jest wielbłąd, czy to dromader?
Zresztą nieważne. Niczym kaskader,
zamiast się kwestią ową zamęczać,
na zwierza skaczę. Aż zwierz ZAJĘCZAŁ!

Zajęczał smętnie, choć mu na garb
wskoczył ochoczo prawdziwy skarb!

Więc to nie wielbłąd i nie dromader.
Zwyczajny szarak. Słabiutki nader…

GULGO!

Mój jamnik, wierzcie mi,
ma czasem takie dni,
że trudno z nim wytrzymać.

Obraża się, nadyma,
nabzdycza, naburmusza…

Najlepiej go nie ruszać,
bo w mig się robi zły
i tylko: – Wry, wry, wry!

O! Znów się NAINDYCZYŁ!
Już nie chce iść na smyczy,
już nie chce iść w ogóle!

Więc pytam się go czule:
– Znów dąsasz się, urwisie?
– Ja? Nie… Wydaje ci się.

– Naprawdę?! – wołam z ulgą.
A on mi: – Gul, gul, gulgo!

JAK MUS TO MUS

Do wiatru zwróciła się mucha:

– Właściwie dlaczego pan dMUCHA?

Dlaczego nie dmrówka, nie dmyszka,

i nie, na ten przykład, dmodliszka?

Czy panu ktoś na to zezwolił?
Czy pana w tej kwestii ktoś szkolił?!
– Nie, wcale – odszumiał wiatr musze –
ja dmucham po prostu, bo muszę.

Spis treści